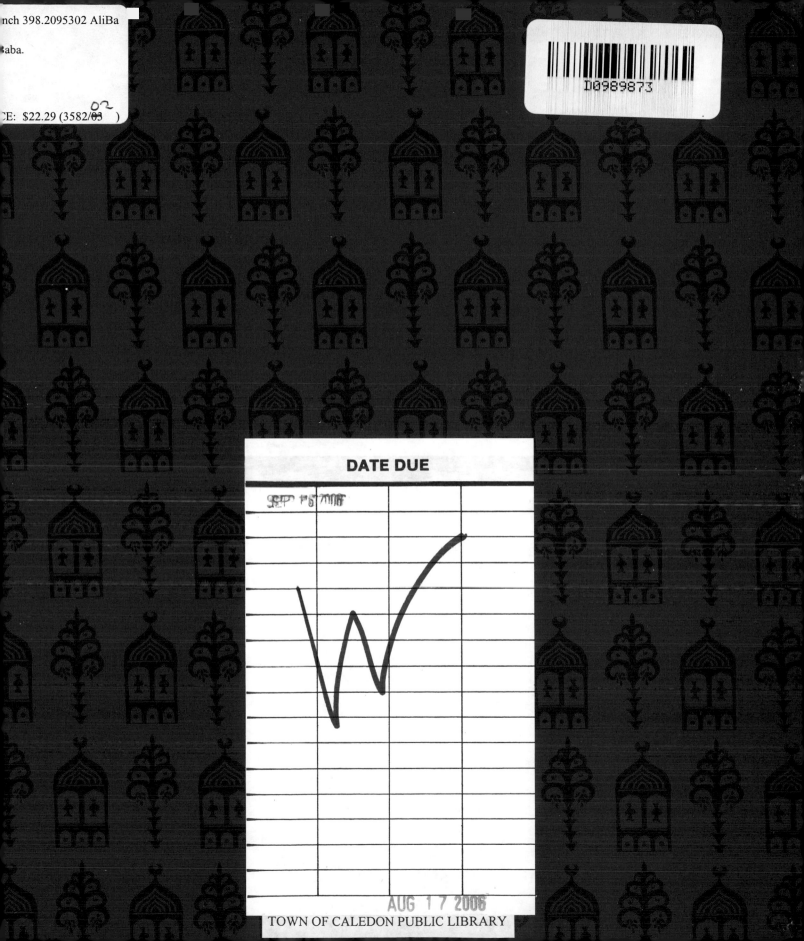

La France a découvert les *Mille et Une Nuits* en 1704 grâce à la traduction d'Antoine Galland d'un manuscrit arabe des XIIIe et XIVe siècles. L'ouvrage rassemblait des contes connus dès le IXe siècle dans la tradition orale.

Ali Baba et les quarante voleurs est l'un des innombrables contes des *Mille et Une Nuits*. Tous ces récits nous sont contés par Shéhérazade, épouse du sultan Shahriyar. Ce dernier, déçu par l'infidélité de ses dernières femmes, a décidé de ne pas garder une épouse plus d'un jour. Alors, chaque nuit, pour échapper à la mort, Shéhérazade raconte à son époux des histoires fabuleuses.

Ali Baba

Rachel Beaujean-Deschamps
Louise Heugel

ÉDITIONS THIERRY MAGNIER

MUSÉE DU LOUVRE ÉDITIONS

Il y a bien longtemps vivait en Perse un modeste bûcheron nommé Ali Baba. Chaque matin, il partait dans la forêt avec ses ânes ; chaque soir, il revenait avec un chargement de bois. Un jour, un bruit sourd interrompt Ali Baba dans son travail. Au loin, un épais nuage de poussière se rapproche. Affolé, il grimpe dans un arbre quand surgissent à ses pieds un, deux, trois... non... quarante cavaliers armés. Des voleurs, assurément !

Les hommes mettent pied à terre et leur chef s'exclame :
« Sésame, ouvre-toi ! »
Soudain la terre, l'arbre, le feuillage et Ali Baba lui-même
se mettent à trembler. Les voleurs et leur chargement
disparaissent dans un grondement.
Épouvanté, Ali Baba n'ose plus bouger.
Peu de temps après, le même bruit assourdissant résonne.
Les quarante voleurs réapparaissent puis repartent
au grand galop sur leurs chevaux.

Ali Baba décide de descendre de son arbre pour comprendre
ce qui a bien pu se passer. En apparence, tout est normal :
les arbres sont à leur place, les rochers aussi.
Ali Baba prononce alors la formule : « Sésame, ouvre-toi ! »
Aussitôt la terre tremble de nouveau. Un grand rocher s'ouvre
devant lui et révèle l'entrée d'une caverne. Ali Baba découvre
alors un trésor fabuleux, de l'or, des bijoux merveilleux
et des tissus somptueux. Le butin des voleurs !

Ce soir-là, ce n'est pas du bois mais quelques sacs d'or qu'Ali Baba rapporte avec lui. Il les montre à son fils qui hésite entre la frayeur et l'émerveillement.
– Et si les voleurs l'apprenaient !
– J'ai pris peu de choses, le rassure Ali, juste ce qu'il nous faut pour vivre un peu mieux. Gardons le secret et il ne nous arrivera rien.
Mais c'était sans compter sur la curiosité de Cassim, le riche frère d'Ali Baba qui, caché, a tout entendu.

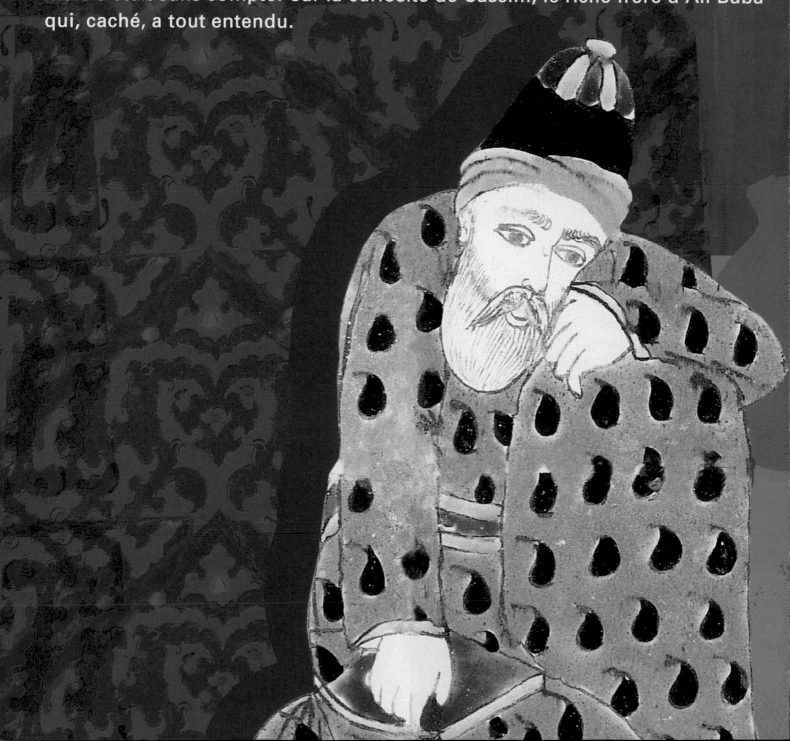

Cassim harcèle son frère de questions jusqu'à ce que le bon Ali Baba
lui révèle son secret. Cassim se rend aussitôt à la grotte. Subjugué
par les richesses qui l'entourent, il remplit tous les sacs
dont il dispose et projette déjà de revenir. Mais, au moment de sortir,
impossible de retrouver la formule magique. Tout juste se souvient-il
que c'est un nom de céréale. Affolé, Cassim s'écrie :
« Blé, ouvre-toi ! » Rien ne se passe.
« Orge, ouvre-toi ! » Toujours rien.
La porte reste obstinément close.

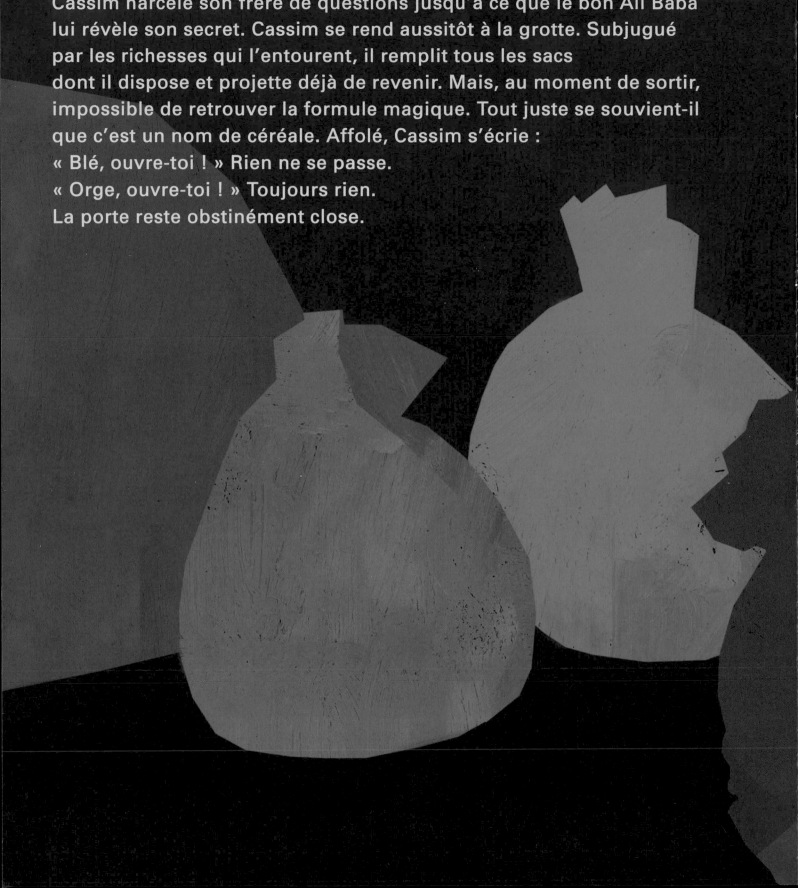

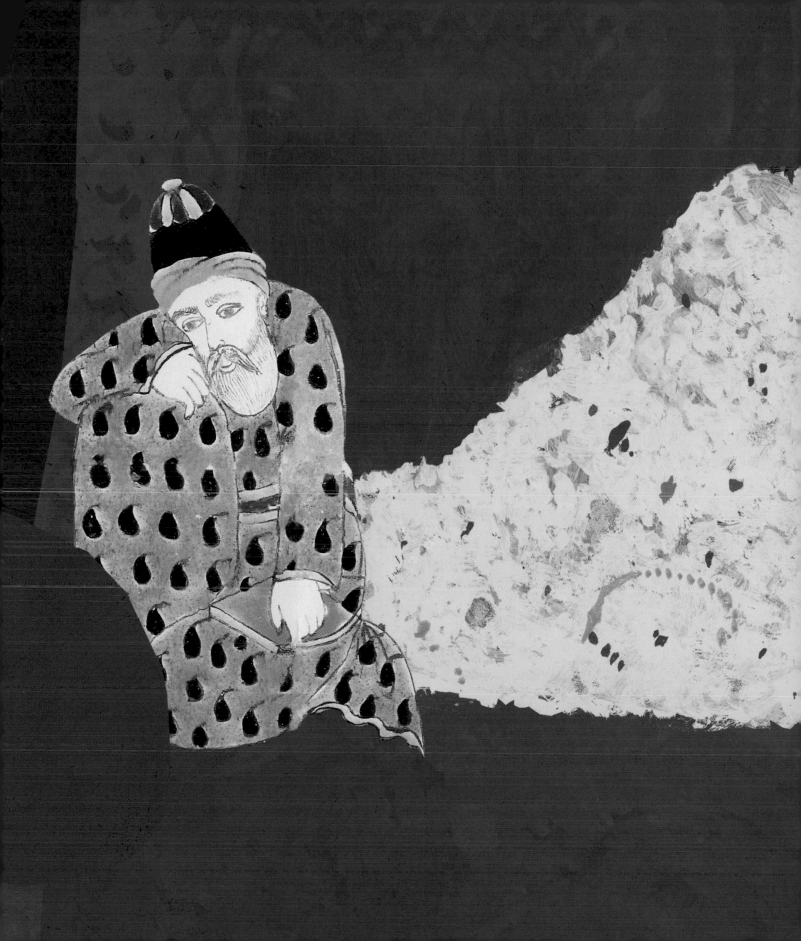

Soudain Cassim entend les voix des voleurs
et le fameux « Sésame, ouvre-toi ! ».
La grotte s'ouvre. Cassim se précipite au-dehors
mais les voleurs le tranchent aussitôt à coups de sabre.

– Notre trésor est découvert ! s'inquiètent les voleurs.
– Laissons ce cadavre à l'entrée, décide leur chef.
Nous verrons si d'autres curieux osent s'aventurer.

Plus tard, Ali Baba découvre avec horreur
le corps en morceaux de son frère
et le rapporte chez lui dans ce triste état.

Ali Baba confie à Morgiane, la perspicace esclave de son frère, le soin de rendre la mort de Cassim plausible. À plusieurs reprises, elle se rend chez l'apothicaire, se lamentant sur la maladie terrible qui touche son maître et réclamant des remèdes de plus en plus forts. Puis, le décès annoncé, elle fait venir un cordonnier les yeux bandés et le charge de recoudre le corps dans le plus grand secret contre quelques pièces d'or. Cassim peut alors être enterré publiquement comme tous les riches marchands.

De retour à la caverne, les voleurs constatent la disparition du corps.
– Quelqu'un connaît notre secret, il faut l'éliminer.
L'un d'eux se rend en ville. La seule boutique ouverte est celle du cordonnier.
Ce grand bavard lui raconte comment il a recousu un corps quelques jours
plus tôt et, contre quelques pièces, il accepte de l'emmener jusqu'à la maison.
Il retrouve le chemin grâce aux odeurs. Le voleur marque la porte d'une croix
mais, quand tous les brigands reviennent la nuit tombée, toutes les maisons
portent le même signe. La rusée Morgiane a senti le piège.

À son tour, le chef des voleurs
demande au cordonnier de lui
montrer la maison d'Ali Baba.
Le soir venu, il se présente
déguisé en marchand d'huile.
Ali Baba ne se doute
de rien et lui offre le gîte.
Cette nuit-là, Morgiane
n'a plus d'huile pour sa lampe.
Une des jarres du marchand
est pleine mais, à sa grande surprise,
elle entend des voix sortir des autres :
ce sont les voleurs qui attendent
de passer à l'attaque.
Morgiane fait chauffer l'huile
et les ébouillante tour à tour.
Au petit matin, quand le chef
découvre la mort de ses complices,
il s'enfuit.

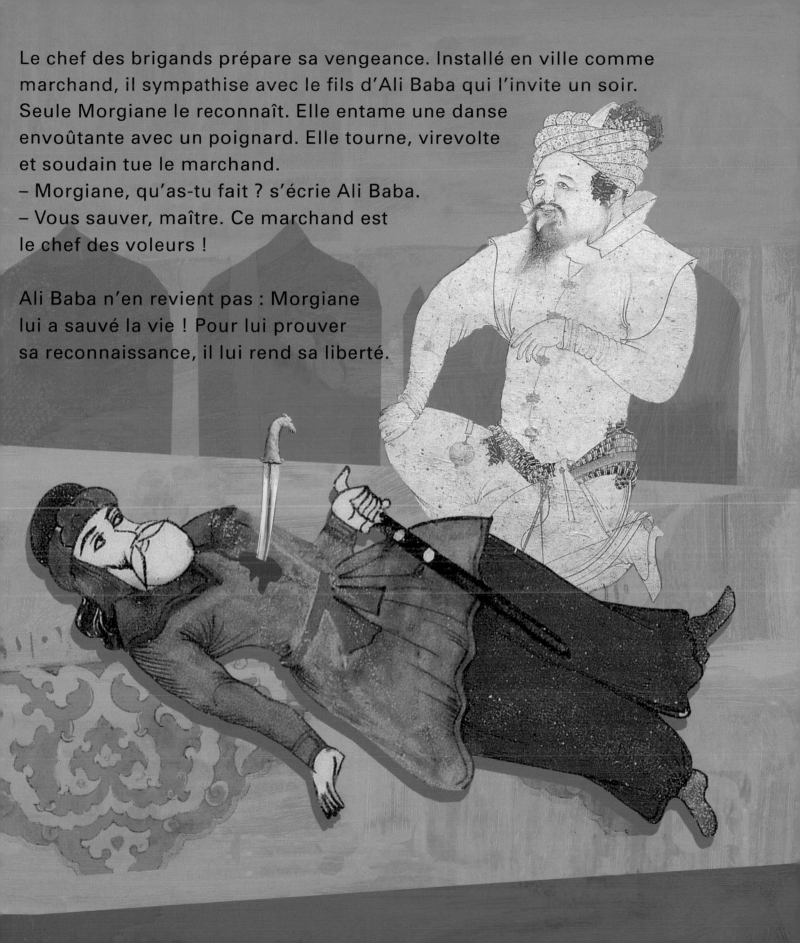

Le chef des brigands prépare sa vengeance. Installé en ville comme marchand, il sympathise avec le fils d'Ali Baba qui l'invite un soir. Seule Morgiane le reconnaît. Elle entame une danse envoûtante avec un poignard. Elle tourne, virevolte et soudain tue le marchand.

– Morgiane, qu'as-tu fait ? s'écrie Ali Baba.

– Vous sauver, maître. Ce marchand est le chef des voleurs !

Ali Baba n'en revient pas : Morgiane lui a sauvé la vie ! Pour lui prouver sa reconnaissance, il lui rend sa liberté.

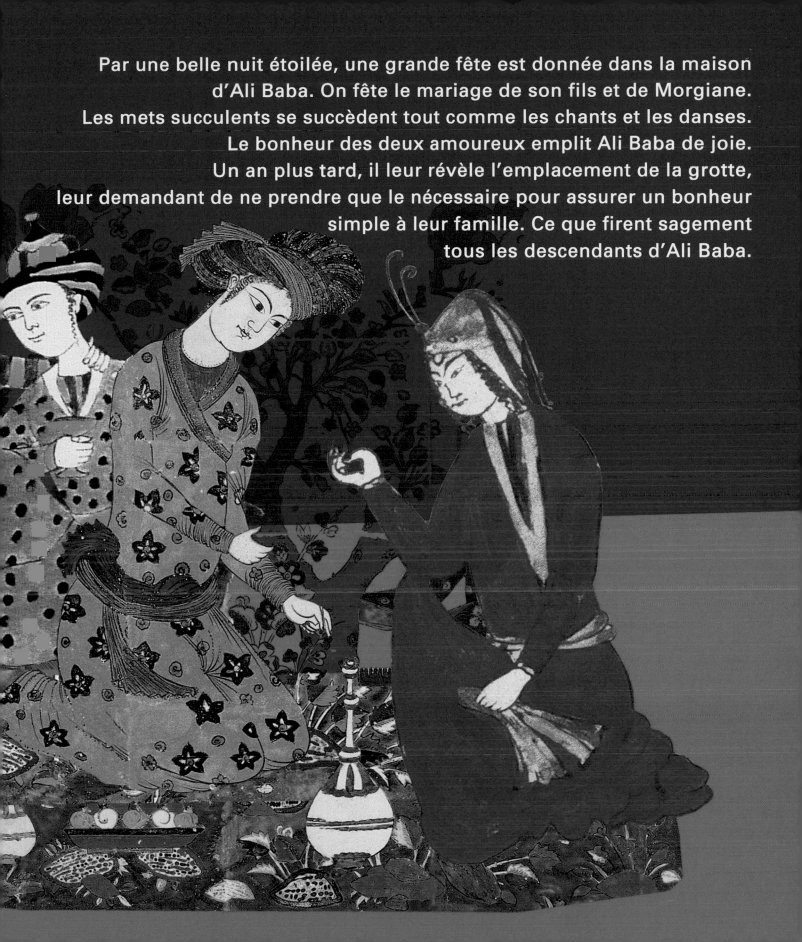

Par une belle nuit étoilée, une grande fête est donnée dans la maison
d'Ali Baba. On fête le mariage de son fils et de Morgiane.
Les mets succulents se succèdent tout comme les chants et les danses.
Le bonheur des deux amoureux emplit Ali Baba de joie.
Un an plus tard, il leur révèle l'emplacement de la grotte,
leur demandant de ne prendre que le nécessaire pour assurer un bonheur
simple à leur famille. Ce que firent sagement
tous les descendants d'Ali Baba.

Ces œuvres sont exposées au département des Arts de l'Islam du musée du Louvre.

1 **Panneau de revêtement mural : personnages masculins au bord d'un ruisseau** ● Iran ● milieu du XVIIIe siècle ● céramique ●
hauteur 1,20 m ● longueur 1 m ● salle 11

2 **Plaque représentant la mosquée de la Mekke** ● Turquie, Iznik ● XVIIe siècle ● céramique ● hauteur 59,5 cm ● longueur 35,4 cm ● sall

3 **Plaque représentant la mosquée de Médine** ● Turquie, Iznik ● XVIIe siècle ● céramique ● hauteur 57,7 cm ● longueur 33,8 cm ● salle

4 **Coffret** ● Espagne, Madinat al-Zahra ● 966 ● ivoire ● hauteur 10 cm ● largeur 20 cm ● profondeur 12,5 cm ● salle 3

5 **Poignard à tête de cheval** ● Inde ● XVIIe siècle ● métal et gemmes ● longueur 50,5 cm ● salle 11

6 **Panneau de revêtement mural : divertissement dans un jardin** ● Iran ● XVIIe siècle ● céramique ● hauteur 1,15 m ● salle 11

7 **Prisonnier turkmène** ● Iran ● seconde moitié du XVIe siècle ● miniature ● hauteur 20,9 cm ● non exposé

8   **Encadrement de fenêtre** ● Iran ● fin du XIXᵉ siècle ● céramique ● hauteur 2,14 m ● longueur 1,12 m ● salle 11

9   **Vantaux à décor d'arabesques** ● Syrie ● seconde moitié du XIIᵉ début du XIIIᵉ siècle ● bois ● hauteur 1,22 m ● salle 8

10   **Grande coupe à décor kaléidoscopique** ● Iran, Khurasan ● Xᵉ-XIᵉ siècle ● céramique ● diamètre 38,3 cm ● salle 4

11   **Coupe à l'âne** ● Iran, province du Mazanderan, district d'Amol ● XIIᵉ-XIIIᵉ siècle ● céramique ● diamètre 32,5 cm ● salle 5

12   **Vase au semis de mandorles** ● Égypte ou Syrie ● XIVᵉ-XVᵉ siècle ● céramique ● hauteur 40 cm ● salle 9

13   **Bassin dit « Baptistère de Saint Louis »** ● Syrie ou Égypte ● fin du XIIIᵉ-début du XIVᵉ siècle ● métal ● hauteur 23,2 cm ●

diamètre 50,5 cm ● salle 8

14   **Femme au tambourin** ● Iran ● XVIᵉ-XVIIᵉ siècle ● céramique ● diamètre 35 cm ● salle 11

Les œuvres n° 4 et 14 font partie de la collection de l'Union centrale des Arts décoratifs et sont en dépôt au département des Arts de l'Islam.